바보야 문제는 어휘야(50일 만에 완성하는 고등국어 어휘)

발　행 | 2023년 11월 30일
저　자 | 김동완, 김소진
펴낸이 | 한건희
펴낸곳 | 주식회사 부크크
출판사등록 | 2014.07.15.(제2014-16호)
주　소 | 서울특별시 금천구 가산디지털1로 119 SK트윈타워 A동 305호
전　화 | 1670-8316
이메일 | info@bookk.co.kr

ISBN | 979-11-410-5636-0

www.bookk.co.kr

50일 만에 완성하는
고등국어 어휘

바보야
문제는
어휘야

김동완, 김소진 지음

<차례>

들어가며, 교재 활용법 8

1일차 : 가~개 9
2일차 : 거~경 11
3일차 : 계~과 13
4일차 : 관~국 15
5일차 : 궤~기 17
6일차 : 기~담 19
7일차 : 답~면 21
8일차 : 명~미 23
9일차 : 미~병 25
10일차 : 볼~상 27
11일차 : 상~수 29
12주차 : 수~실 31
13일차 : 실~역 33
14일차 : 연~예 35
15일차 : 완~위 37
16일차 : 위~이 39
17일차 : 이~자 41
18일차 : 잔~제 43
19일차 : 조~주 45
20일차 : 주~지 47
21일차 : 지~치 49
22일차 : 치~팽 51
23일차 : 폄~해 53
24일차 : 해~횡 55

25일차 : 고전어 읽는 법 ········ 57

26일차 : 가~곶 ········ 58
27일차 : 과~녹 ········ 59
28주차 : 녹~도 ········ 60
29일차 : 돟~모 ········ 62
30일차 : 뫼~백 ········ 63
31일차 : 백~삼 ········ 64
32일차 : 삼~싀 ········ 66
33일차 : 어~왈 ········ 67
34일차 : 연~원 ········ 68
35일차 : 의~제 ········ 70
36일차 : 져~초 ········ 71
37일차 : 추~하 ········ 72
38일차 : 항~황 ········ 74
39일차 : 자연과 속세를 나타내는 어휘 ········ 75
40일차 : 소박한 삶의 태도, 만족과 한가로움의 어휘 ········ 76

41일차 : 시간을 나타내는 한자 ········ 77
42일차 : 자연을 나타내는 한자 ········ 78
43일차 : 식물을 나타내는 한자 ········ 79
44일차 : 사람, 초월적 존재를 나타내는 한자 ········ 80
45일차 : 인간의 신체, 모습을 나타내는 한자 ········ 81
46일차 : 성격, 특징, 감정을 나타내는 한자 ········ 82
47일차 : 색깔, 모습을 나타내는 한자 ········ 83
48일차 : 행위를 나타내는 한자 ········ 84
49일차 : 장소, 도구를 나타내는 한자 ········ 85

집필진

김동완 연세대학교(서울) 국어국문학과 학·석사 연계 과정

연세대학교(서울) 정치외교학 복수전공, 교직 이수(정교사자격증) 과정

2019 수능 국어영역 전국 상위 1.6%

연세대학교(서울), 중앙대학교(서울) 논술전형 합격

김소진 이화여자대학교 국어국문학과

이화여자대학교 논술전형 합격

검토진

정동민 연세대학교(서울) 국어국문학과, 심리학 복수전공

송요찬 연세대학교(서울) 국어국문학과, 수능 국어 강의

2022 수능 국어영역 전국 상위 0.8%

김승재 중앙대학교(서울) 철학과, 고등/수능 영어 강의

김희진 이화여자외국어고등학교 중국어과 재학

들어가며, 교재 활용법

안녕하세요. 김동완, 김소진입니다.

어휘력의 중요성

국어뿐만 아니라 모든 과목에서, '어휘력'은 중요합니다. 독해력 상승을 위한 교재를 준비하다가 잠시 멈추고 바로 어휘력 상승을 위한 교재를 준비하기 시작했습니다. 독해력을 위해서는 일정 수준 이상의 어휘력이 필수적으로 요구되기 때문입니다.

무지의 지

아는 것보다 더 중요한 것은 '무엇을 알고 무엇을 모르는지'를 아는 것입니다. 어휘도 마찬가지입니다. 명확하게 아는 단어, 모호하게 느낌만 아는 단어, 전혀 모르는 단어를 구분해서 학습하시길 바랍니다.

누적 반복 복습

내가 무엇을 알고 무엇을 모르는지 알기 위해서는, 최소한 일주일에 한 번은 그 내용을 보아야 합니다. 하루의 학습 범위를 시작하기 전, 이전에 잘 몰랐던/헷갈렸던 것들을 우선 빠르게 훑어보는 것을 권유합니다. 1회독은 공부의 끝이 아니라 시작입니다.

국어도 영어처럼

영어는 단어도 외우고 문장(구문)도 공부합니다. 국어도 그렇게 해야 합니다. 원어민이라고 자신만만하면 안 됩니다. 꼼꼼하게, 모르는 단어는 찾아가면서, 한 번에 안 읽히는 문장은 정리해 가면서 공부하세요.

2023. 12.

김동완, 김소진 씀.

1일차 : 가~개

가책	자기나 남의 잘못에 대하여 꾸짖어 책망함.
유) 거리낌, 책망	Eng) 양심의 가책을 느끼다 feel guilty[bad] (about)
예) 동민은 일이 잘못되자 양심에 가책을 느꼈다.	

각광	사회적 관심이나 흥미.
유) 주목	Eng) the spotlight, limelight
예) 뉴진스의 새 앨범이 음원 시장에서 각광을 받기 시작했다.	

각축	서로 이기려고 다투며 덤벼듦.
유) 경쟁	Eng) competition
예) 지우와 지민이는 전교 1등을 두고 각축을 벌였다.	

간명	간에 새긴다는 뜻으로, 마음에 깊이 새겨 잊지 아니함.
유) 명심, 조심, 존심	Eng) 명심하다 bear[keep] (something) in mind
예) '모든 것은 마음먹기에 달렸다'라는 말을 늘 간명하며 살았다.	

강구	좋은 대책과 방법을 궁리하여 찾아내거나 좋은 대책을 세움.
유) 궁리, 도모, 모색	Eng) 강구하다 devise, look for, seek for
예) 기후 위기에 대한 강력한 대비책을 강구해야 한다.	

개괄	1. 명사 중요한 내용이나 줄거리를 대강 추려 냄. 2. 명사 어떤 개념의 외연을 확대하여, 보다 많은 사물을 포괄하는 개념으로 만드는 일.
유) 개요, 요약, 총괄	Eng) a summary, a summing-up
예) 이 글에는 작가의 전 생애가 잘 개괄되어 있다.	

개선	잘못된 것이나 부족한 것, 나쁜 것 따위를 고쳐 더 좋게 만듦.
유) 개량, 개조, 보완	Eng) improvement
예) 노동자들은 처우 개선을 요구하며 시위를 벌이고 있다.	

개악	고치어 도리어 나빠지게 함.
유) 악화	Eng) a change for the worse
예) 이번 조치는 상황을 오히려 개악하고 말았다.	

개체	전체나 집단에 상대하여 하나하나의 낱개를 이르는 말.
유) 개개, 낱낱	Eng) entity, individual
예) 인간은 하나의 독립된 개체이다.	

개탄[1]	분하거나 못마땅하게 여겨 한탄함.
유) 분개, 한탄	Eng) deplore, bemoan
예) 묻지 마 범죄 사건으로 온 국민이 개탄을 금치 못했다.	

1) 개탄의 '탄'은 탄식할 탄(嘆)이다.

2일차 : 거~경

거명	어떤 사람의 이름을 입에 올려 말함.
Eng) mentioning	
예) 뇌물을 받은 것으로 거명된 인사들이 모두 사실을 부인하고 있다.	

거시적	1. 명사 사람의 감각으로 식별할 수 있을 정도의 것. 2. 명사 사물이나 현상을 전체적으로 분석 · 파악하는 것.
유) 가시적, 전반적, 전체적 반) 미시적	Eng) macroscopic
예) 미시적으로 소설을 읽어 버릇하면 소설을 거시적 관점에서 보는 시각이 둔감해질 수 있다.	

거저	아무런 노력이나 대가 없이.
유) 공으로, 그냥	Eng) (for) free, for nothing, free of charge
예) 그런 고물은 거저 줘도 안 받을 것이다.	

게시	여러 사람에게 알리기 위하여 내붙이거나 내걸어 두루 보게 함. 또는 그런 물건.
Eng) post (up), put up	
예) 그는 아파트 엘리베이터에 광고를 붙이기 위해 관리 사무소에 게시 승인을 요청했다,	

견지	1. 명사 어떤 견해나 입장 따위를 굳게 지니거나 지킴. 2. 어떤 사물을 판단하거나 관찰하는 태도.
유) 고집, 유지, 관점	Eng) point of view, viewpoint, standpoint, perspective
예) 인도적 견지에서 이웃 나라에 식량을 지원했다.	

결재	결정할 권한이 있는 상관이 부하가 제출한 안건을 검토하여 허가하거나 승인함.
유) 승인, 허가	Eng) approval, authorization
예) 그 일은 아직 기획국장의 결재가 나지 않았다.	

결제	1. 명사 증권 또는 대금을 주고받아 매매 당사자 사이의 거래 관계를 끝맺는 일. 2. 명사 일을 처리하여 끝을 냄.
Eng) payment	
예) 성용이는 지갑에 카드가 없어 현금으로 결제했다.	

결탁	1. 명사 마음을 결합하여 서로 의탁함. 2. 명사 주로 나쁜 일을 꾸미려고 서로 한통속이 됨.
유) 유착, 야합	Eng) collusion, conspiracy, complicity
예) 그는 권력가와의 결탁을 거부하고 본인의 양심을 지켰다.	

겸허	스스로 자신을 낮추고 비우는 태도가 있음.
유) 겸손	Eng) modesty, humbleness, humility
예) 소진이는 항상 겸허한 태도로 사람들을 대한다.	

경종	잘못된 일이나 위험한 일에 대하여 경계하여 주는 주의나 충고를 비유적으로 이르는 말.
유) 주의, 충고	Eng) a warning (sign), 경종을 울리다 sound[raise] the alarm
예) 이번 참사는 우리 사회의 안전불감증에 대한 커다란 경종이다.	

3일차 : 계~과

계시	1. 명사 깨우쳐 보여 줌. 2. 명사 사람의 지혜로써는 알 수 없는 진리를 신(神)이 가르쳐 알게 함.
유) 가르침, 교시	Eng) revelation
예) 찬은 자신이 꾼 꿈을 계시로 받아들였다.	

고깝다	섭섭하고 야속하여 마음이 언짢다.
유) 못마땅하다, 아니꼽다, 언짢다	Eng) 고깝게 여기다 be displeased, feel bitter
예) 나는 나를 무시하는 듯한 그의 언행이 고깝게 느껴졌다.	

고루하다	낡은 관념이나 습관에 젖어 고집이 세고 새로운 것을 잘 받아들이지 아니하다.
유) 완고하다, 완루하다	Eng) outdated, old-fashioned
예) 고루하고 편협한 생각을 가지고는 앞으로 나아갈 수 없을 것이다.	

고역	몹시 힘들고 고되어 견디기 어려운 일.
유) 가역, 극역	Eng) drudgery
예) 할 일 없이 집에만 누워있는 것도 고역이라는 사람도 있다.	

고지	1. 명사 게시나 글을 통하여 알림. 2. 명사 이루어야 할 목표. 또는 그 수준에 이른 단계.
유) 목적, 목표	Eng) notice, notification
예) 중간고사 일정에 대한 고지가 어제 홈페이지에 올라왔다.	

고착화[2]	어떤 상황이나 현상이 굳어져 변하지 않는 상태가 됨. 또는 그렇게 함.
Eng) adhesion	
예) 집단 이기주의가 고착화하는 현상은 반드시 막아야 한다.	

곡해	사실을 옳지 아니하게 해석함. 또는 그런 해석.
유) 오해, 왜곡	Eng) an overstrained interpretation, perversion
예) 그는 자기주장이 그런 식으로 곡해되어 전달될 거라고는 상상도 하지 못했다.	

공리적	어떤 일을 할 때 자신의 공명과 이익을 먼저 생각하거나 추구하는 것.
유) 계산적, 이기적, 효율적	Eng) utilitarian, 공리적으로 in a utilitarian[practical] way.
예) 공리적인 목적	

공산	어떤 상태가 되거나 어떤 일이 일어날 수 있는 확실성의 정도.
유) 가능성, 가망, 여지	Eng) chance, possibility, probability
예) 이번 경기는 우리 팀이 이길 공산이 크다.	

과도적	한 단계에서 다른 단계로 옮아가는 것.
Eng) transitional	
예) 이러한 부작용은 과도적인 단계에서 생기는 현상일 뿐이다.	

2) '~화(化)' 형태의 단어는 앞으로 자주 등장할 것이다. 꼭! 알아두도록 한다. '화(化)'라는 한자의 뜻은 '되다, 될'이라는 뜻으로, 'A화' 형태의 어휘라면 'A가 된다.'라는 뜻이라고 보면 된다. 산업화, 민주화, 정교화, 구체화, 활성화, 세계화 모두 같은 맥락이다. 영어에서의 접미사 '-ization'이라고 보면 쉽다.

4일차 : 관~국

관조적	고요한 마음으로 사물이나 현상을 관찰하거나 비추어 보는 것.
Eng) contemplative, meditative	
예) 그 시인의 작품에서는 관조적인 태도가 드러난다.	

괄목	눈을 비비고 볼 정도로 매우 놀람.
유) 경탄, 놀라움	Eng) 괄목할 만하다 be worthy of close attention
예) 우리나라는 1970년대 이후 괄목할 성장을 거듭해 왔다.	

괘념하다	마음에 두고 걱정하거나 잊지 아니하다.
유) 걱정하다, 염려하다	Eng) mind, care
예) 제가 해결할 테니 이 일에 더 이상 괘념하지 않으셔도 됩니다.	

괴리감[3]	서로 어긋나 동떨어져 있는 것처럼 느끼는 마음.
Eng) separation	
예) 이론과 실제 사이에서 느껴지는 괴리감이 너무나 커 어려움을 겪고 있다.	

괴멸	조직이나 체계 따위가 모조리 파괴되어 멸망함.
유) 멸망, 복멸, 파멸	Eng) destruction, demolition, ruin
예) 적군은 이번 전투에서 거의 괴멸되었다	

3) 문학 작품에서 화자나 등장인물은 이상과 현실 사이의 '괴리'를 느낄 수 있다. 그 상황에 따른 정서나 심리는 어떤 것이 있을 수 있을지 생각 해보자.

교부되다	물건 따위가 건네어지다.
유) 배부되다, 수여되다	Eng) be delivered, be issued
예) 교도소로 온 편지는 교도관의 검열을 거친 후 수형자에게 교부된다.	

구설	시비하거나 헐뜯는 말.
Eng) malicious gossip, heated words	
예) 그 학생은 개강하자마자 구설에 올랐다.	

구인	일할 사람을 구함.
Eng) recruit	

구직	일정한 직업을 찾음.
Eng) 구직 활동을 하다 look for a job[position]	
예) 그녀는 대학 졸업을 앞두고 구직 활동을 하고 있다.	

국지전	한정된 지역에서 일어나는 전쟁.
유) 국부전, 국지전쟁	Eng) local[regional] war, limited warfare
예) 지금도 국지전이나 종족 간의 갈등은 끊임없이 일어나고 있다.	

5일차 : 궤~기

궤변	상대편을 이론으로 이기기 위하여 상대편의 사고(思考)를 혼란시키거나 감정을 격앙시켜 거짓을 참인 것처럼 꾸며 대는 논법.
유) 기론, 억설	Eng) sophistry[4]
예) 요찬이의 주장은 그럴듯한 것 같지만 실상은 억설이고 궤변이다.	

귀감	거울로 삼아 본받을 만한 모범.
유) 교훈, 모범, 본보기	Eng) model, example, role model
예) 소진이의 봉사 정신은 많은 사람에게 귀감이 된다.	

귀결	1. 명사 어떤 결말이나 결과에 이름. 또는 그 결말이나 결과. 2. 명사 어떤 사태를 원인으로 하여 그 결과로 생기는 상태. 또는 일정한 논리적 전제로부터 이끌어 내게 되는 결론.
유) 결과, 결론	Eng) conclusion, consequence, the result
예) 그 영화의 엔딩은 예상된 귀결이다.	

귀납	개별적인 특수한 사실이나 원리로부터 일반적이고 보편적인 명제 및 법칙을 유도해 내는 일. 추리 및 사고방식의 하나로, 개연적인 확실성만을 가진다.
유) 유추, 추리	Eng) induction
예) 그는 이번 실험 결과를 귀납해서 하나의 원리를 세우는 데 성공했다.	

귀소	동물이 집이나 둥지로 돌아감.
유) 귀서, 재귀	Eng) homing
예) 정준이는 귀소 본능을 지니고 있어 술에 취해도 꼭 집에 들어간다.	

---

4) 궤변을 영어로 하면, 'sophistry'이고 궤변론자는 'sophist'이다. 그리스 시대의 소피스트는 철학 분야 독서 지문에서도 자주 등장한다. 배경지식을 위해 한 번 찾아보는 것도 추천한다.

귀의	돌아가거나 돌아와 몸을 의지함.
유) 의귀	Eng) devotion
예) 인간은 누구나 자연에 귀의한다.	

규합	어떤 일을 꾸미려고 세력이나 사람을 모음.
유) 구집, 구합	Eng) a rally, a muster
예) 여러 세력을 규합하여 영향력이 큰 조직을 형성했다.	

근간	1. 명사 뿌리와 줄기를 아울러 이르는 말. 2. 명사 사물의 바탕이나 중심이 되는 중요한 것.
유) 기초, 밑바닥	Eng) basis, foundation
예) 조선은 유교 이념을 근간으로 한 나라였다.	

금년[5]	지금 지나가고 있는 이해.
유) 당년, 올해	Eng) this year, the present[current] year
예) 금년은 예년보다 무더울 것으로 예상된다.	

기시감	한 번도 경험한 일이 없는 상황이나 장면이 언제, 어디에선가 이미 경험한 것처럼 친숙하게 느껴지는 일.
유) 익숙함, 데자뷰	Eng) [프랑스] déjá vu(e), paramnesia
예) 나는 그를 볼 때마다 계속해서 어떠한 기시감에서 헤어날 수가 없었다.	

5) '금일'은 '금요일'이 아니라 '오늘'이다.

6일차 : 기~담

기우	앞일에 대해 쓸데없는 걱정을 함. 또는 그 걱정.
유) 군걱정, 별걱정	Eng) overcare
예) 혹시 일이 잘못되지나 않을까 하는 걱정은 기우였다.	

기호	1. 명사 어떠한 뜻을 나타내기 위하여 쓰이는 부호, 문자, 표지 따위를 통틀어 이르는 말. 2. 명사 즐기고 좋아함.
유) 문자, 부호, 애호, 취향	
예) 시장에서는 대중의 기호를 파악하는 것이 매우 중요하다.	

길조	좋은 일이 있을 조짐.
유) 길상	Eng) good[lucky, auspicious] sign
예) 우리나라에서는 까치를 길조로 여긴다.	

난항	1. 명사 여러 가지 장애 때문에 일이 순조롭게 진행되지 않음을 비유적으로 이르는 말. 2. 명사 폭풍우와 같은 나쁜 조건으로 배나 항공기가 몹시 어렵게 항행함.
유) 난관, 어려움, 역경	Eng) rough going
예) 그 학생회 프로젝트는 예산 문제로 인해 난항을 겪었다.	

낭설	터무니없는 헛소문.
유) 뜬소문, 유언비어, 헛소문	Eng) false[wild, groundless] rumor
예) 수강신청과 관련된 소문은 전혀 근거 없는 낭설일 뿐이다.	

냉소	쌀쌀한 태도로 비웃음. 또는 그런 웃음.
유) 냉조, 찬웃음	Eng) cynical smile, sarcastic smile, cold smile
예) 그녀는 그의 거짓말에 냉소를 지었다.	

노고	힘들여 수고하고 애씀.
유) 고생	Eng) hard work
예) 성민은 할머니를 간호하는 일에 정성과 노고를 아끼지 않았다.	

농후하다	1. 형용사 맛, 빛깔, 성분 따위가 매우 짙다. 2. 형용사 어떤 경향이나 기색 따위가 뚜렷하다.
유) 뚜렷하다	Eng) 농후하게 1. thickly 2. heavily
예) 그 오래된 건물은 붕괴될 가능성이 농후하여 사람들의 접근을 제한하고 있다.	

단초	일이나 사건을 풀어 나갈 수 있는 첫머리.
유) 단서, 실마리	Eng) motive, beginning
예) 그는 문제 해결의 단초를 제공했다.	

담보	맡아서 보증함
유) 보장, 보증	Eng) security, collateral, [동사] guarantee
예) 집을 담보로 은행에서 대출을 받았다.	

7일차 : 답~면

답습	예로부터 해 오던 방식이나 수법을 좇아 그대로 행함.
Eng) follow, imitate	
예) 과거를 답습하는 한 발전은 불가능하다.	

당도하다	어떤 곳에 다다르다.
유) 다다르다, 닿다	Eng) reach, arrive, get
예) 그들은 다른 일행보다 목적지에 먼저 당도했다.	

도래	어떤 시기나 기회가 닥쳐옴.
유) 개막, 도착	Eng) advent
예) "인간 시대의 끝이 도래했다."	

도외시	상관하지 아니하거나 무시함.
유) 무시, 묵살, 외면	Eng) 도외시하다 disregard, ignore, neglect
예) 영어 점수를 잘 받기 위해서는 단어 공부를 도외시해서는 안 된다.	

동음이의어	소리는 같으나 뜻이 다른 단어.
유) 동음어	Eng) homonym
예) 밤, 배 등은 동음이의어의 예시이다.	

득의	일이 뜻대로 이루어져 만족해하거나 뽐냄.
유) 득의양양, 득의지색	Eng) prosperity, triumph, pride
예) 김연아 선수는 메달을 목에 걸고 득의에 찬 미소를 지었다.	

마진	원가와 판매가의 차액.
유) 이윤	Eng) margin, profit
예) 마진이 별로 남지 않는 장사는 하지 않는 게 좋겠어.	

만류하다	붙들고 못 하게 말리다.
유) 말리다	Eng) dissuade, discourage
예) 나는 술에 취한 아저씨가 운전하려는 것을 극구 만류했다.	

매도	값을 받고 물건의 소유권을 다른 사람에게 넘김.
유) 매각	Eng) sell
예) 투자자들이 매도를 자제하여 현재로써는 활발한 거래를 기대하기 어렵다.	

면피	면하여 피함.
유) 모면, 피면, 회피	Eng) evasion, escape
예) 그의 그 발언은 면피성 발언이다.	

8일차 : 명~미

명망	명성(名聲)과 인망(人望)을 아울러 이르는 말.
유) 덕망, 명성	Eng) reputation
예) 승현이는 이 시대의 참선배로 명망이 높다.	

명목	1. 명사 겉으로 내세우는 이름. 2. 명사 구실이나 이유
유) 구실, 명의	Eng) ~의 명목으로 under the pretext[name]
예) 폭력은 어떠한 명목으로도 정당화될 수 없다.	

명분	1. 명사 각각의 이름이나 신분에 따라 마땅히 지켜야 할 도리. 군신, 부자, 부부 등 구별된 사이에 서로가 지켜야 할 도덕상의 일을 이른다. 2. 명사 일을 꾀할 때 내세우는 구실이나 이유 따위.
유) 명목, 명색	Eng) pretext (for), justification
예) "명분이 없다 아입니까, 명분이."	

목가적	농촌처럼 소박하고 평화로우며 서정적인 것.
유) 서정적	Eng) pastoral, (literary) bucolic
예) 할머니 댁에 옥상에 올라가면 목가적인 풍경을 볼 수 있다.	

목도	눈으로 직접 봄.
유) 목견, 목견	Eng) 목도하다 witness
예) 그녀는 교통 사고 장면을 목도하고는 큰 충격을 받았다.	

무고하다	1. 형용사 잘못이나 허물이 없다. 2. 형용사 사고 없이 평안하다.
유) 결백하다, 무사하다	Eng) innocent, guiltless
예) 마피아 게임을 하다보면 무고한 시민이 사망하는 경우가 많다	

문외한	1. 명사 어떤 일에 직접 관계가 없는 사람. 1. 어떤 일에 전문적인 지식이 없는 사람.
유) 국외인, 일자무식, 제삼자	Eng) layperson
예) 그 방면에 문외한인 나는 그들이 무슨 이야기를 하고 있는지 전혀 알지 못했다.	

미상	확실하거나 분명하지 않음.
Eng) unknown~	
예) 이 시는 아직까지 작자 미상으로 남아있다.	

미시적	1. 명사 사람의 감각으로 직접 식별할 수 없을 만큼 몹시 작은 현상에 관한 것. 2. 명사 사물이나 현상을 전체적인 면에서가 아니라 개별적으로 포착하여 분석하는 것.
유) 개별적, 세부적	Eng) microscopic
예) 이 보고서는 미시적 연구를 기반으로 작성되었습니다.	

미연	어떤 일이 아직 그렇게 되지 않은 때.
유) 미리, 사전	Eng) 미연에 beforehand, in advance
예) 사고를 미연에 방지하려면 철저한 대비가 필요하다.	

9일차 : 미~병

미지칭	모르는 사물이나 사람을 가리키는 대명사.
Eng) unnamed, wh-대명사	
예) 미지칭 대명사의 예로는 '누구', '어디', '무엇' 따위가 있다.	

미진하다	아직 다하지 못하다.
유) 미흡하다, 부실하다, 부족하다	Eng) insufficient, unsatisfactory
예) 이번 프로젝트는 준비가 미진하여 원하는 결과를 얻지 못했다.	

반의어	그 뜻이 서로 정반대되는 관계에 있는 말.
유) 대의어, 반대말, 반대어	Eng) antonym
예) 반의어는 한 쌍의 말 사이에 서로 공통되는 의미 요소가 있으면서 동시에 서로 다른 한 개의 의미 요소가 있어야 한다.	

방종	제멋대로 행동하여 거리낌이 없음.
유) 종임, 종탈	Eng) self-indulgence
예) 책임과 의무가 따르지 않는 자유는 자칫 방종에 빠지기 쉽다.	

배격	어떤 사상, 의견, 물건 따위를 물리침.
유) 배제, 배척, 배타	Eng) rejection
예) 자신과 다른 의견을 지닌 사람을 무조건적으로 배격하는 것은 옳지 않다.	

배수진	어떤 일을 성취하기 위하여 더 이상 물러설 수 없음을 비유적으로 이르는 말.
Eng) 배수진을 치다 have one's retreat cut off	
예) 이번 경기에서 지면 탈락이 확정되기 때문에 우리는 모두 배수진을 치고 경기에 최선을 다했다.	

백미	흰 눈썹이라는 뜻으로, 여럿 가운데에서 가장 뛰어난 사람이나 훌륭한 물건을 비유적으로 이르는 말.
유) 교초, 압권	Eng) best (of), highlight (of)
예) 홍길동전은 한국 고전 문학의 백미이다.	

변제	남에게 진 빚을 갚음.
유) 변상, 보상, 상환	Eng) repayment
예) 그는 오늘 대출금 채무를 변제하였다.	

변조	보통과 다른 상태가 됨. 또는 상태를 바꿈.
Eng) falsification	
예) 고의적인 공문서 변조는 사람들에게 의심을 샀다.	

병치하다	두 가지 이상의 것이 한곳에 나란히 두거나 설치함.
예) 이 작가는 소석 속에서 여러 가지 구성 요소들을 조화롭게 병치하고 있다.	

10일차 : 볼~상

볼모	약속 이행의 담보로 상대편에 잡혀 두는 사람이나 물건.
유) 유질, 인질, 질자	
예) 청나라는 대군을 볼모로 잡아가려 하였다.	

봉착	어떤 처지나 상태에 부닥침.
유) 당면, 직면	Eng) 봉착하다 meet (with) , encounter (with), be faced[confronted] (with)
예) 우리는 예상치 못한 난관에 봉착했다.	

부응	어떤 요구나 기대 따위에 좇아서 응함.
유) 응답, 응대, 호응	Eng) 부응하다 meet, satisfy
예) 학생들의 요구에 부응하여 학교 급식을 개선했다.	

부정칭	정해지지 아니한 사람, 물건, 방향, 장소 따위를 가리키는 대명사.
유) 부정대명사	Eng) any-body/one
예) 부정칭 대명사의 예시로는 '아무', '아무개' 따위가 있다. "누구도 날 막지 못해"	

부흥	쇠퇴하였던 것이 다시 일어남. 또는 그렇게 되게 함.
유) 부활, 재건	Eng) revival
예) 온 국민이 경제 부흥을 위해 노력했다.	

불가분	나눌 수가 없음.
유) 불가분리	Eng) indivisible
예) 몸과 마음은 불가분하다.	

불가피하다	피할 수 없다.
유) 마지못하다, 부득이하다, 여지없다	Eng) inevitable, unavoidable
예) 그 기업은 빚이 너무 많아 파산이 불가피해 보인다.	

비행	잘못되거나 그릇된 행위.
유) 악행, 악행위	Eng) misdeed, wrongdoing
예) 재판이 시작되면 그의 비행이 모두 밝혀질 것이다.	

빙자	1. 명사 남의 힘을 빌려서 의지함. 2. 명사 말막음을 위하여 핑계로 내세움.
유) 핑계	Eng) …을 빙자하여 under color[the cloak, the mask]
예) 추석 연휴를 빙자로 숙제를 하지 못했다는 너의 주장은 용납될 수 없다.	

상보적	모자란 부분을 보충하는 관계에 있는 것.
Eng) complementary	
예) 상보적인 역할, 상보반의어[6]	

6) 반의어는 상보 반의어, 등급 반의어, 관계 반의어가 있다. 그중 상보 반의어는 다른 말로 '모순 반의어'라고도 하는데, 이는 상호 배타적인 영역을 가진 반의어를 말한다. 예를 들면, '미혼-기혼', '살다-죽다'의 관계는 중간 영역 없이 '모 아니면 도'인 단어이다.

11일차 : 상~수

상쇄	상반되는 것이 서로 영향을 주어 효과가 없어지는 일.
유) 상계	Eng) 상쇄하다 offset, redeem

상정하다	어떤 정황을 가정적으로 생각하여 단정하다.
유) 가정하다, 지레짐작하다, 추정하다	Eng) assume, presume
예) 최악의 경우를 상정하고 대책을 마련해야 한다.	

상투적	늘 써서 버릇이 되다시피 한 것.
유) 관습적, 기계적, 습관적	Eng) conventional
예) 이 드라마의 내용은 너무 상투적이라 보지 않아도 결말을 알 수 있다.	

상흔	입은 자리에 남은 흔적.
유) 상처, 흉, 흉터	Eng) scar
예) 그의 마음 속에는 아직도 전쟁의 상흔이 남아 있다.	

설욕	부끄러움을 씻음.
유) 설치, 청설, 쾌설	Eng) avenge, get even (with)
예) 요찬은 치욕적인 패배를 맛본 이후 설욕의 기회만을 노리고 있다.	

소상하다	분명하고 자세하다.
유) 상세하다, 자세하다	Eng) detailed
예) 선거 출마에 대한 소상한 내용은 알려지지 않았다.	

소진	점점 줄어들어 다 없어짐. 또는 다 써서 없앰.
유) 결핍, 고갈	Eng) exhaustion
예) 소진이는 종일 집을 청소하고 나니 기력이 모두 소진되었다,	

손괴	어떤 물건을 망가뜨림.
유) 손상, 파괴, 훼손	Eng) destruction, destroy
예) 그는 재물손괴죄로 고소 당했다.	

송축	경사를 기리고 축하함.
유) 경축, 송도, 축하	Eng) blessing
예) 그는 부모의 장수를 송축하는 시를 지어 낭송하였다.	

수렴	1. 명사 돈이나 물건 따위를 거두어들임. 2. 명사 의견이나 사상 따위가 여럿으로 나뉘어 있는 것을 하나로 모아 정리함.
유) 징수, 추렴, 취합	Eng) collect, gather
예) 학생들의 의견을 수렴하여 교내 핸드폰 사용에 관한 교칙을 수정했다.	

12주차 : 수~실

수복하다	1. 동사 고쳐서 본모습과 같게 하다. 2. 동사 잃었던 땅이나 권리 따위를 되찾다.
유) 되찾다, 복권하다, 탈환하다	Eng) reclaim
예) 서울이 수복되자 시민들은 기쁨의 눈물을 흘렸다.	

수의적	자기 뜻대로 하는 것.
Eng) voluntary	
예) 음운 변동은 일정한 조건 아래에서 필연적으로 일어나는 결정적 변동과 임의적으로 일어나는 수의적 변동으로 나뉜다.	

승화	어떤 현상이 더 높은 상태로 발전하는 일.
유) 미화	Eng) 승화하다 transcend, sublime
예) 슬픔과 괴로움이 음악으로 승화되었다.	

시사	어떤 것을 미리 간접적으로 표현해 줌.
유) 암시, 풍시	Eng) 시사하다 imply, hint, suggest
예) 이 기사는 우리나라 입시제도의 문제에 대해 시사하고 있다.	

시사	그 당시에 일어난 여러 가지 사회적 사건.
유) 이슈	Eng) current events (affairs)
예) 그는 시사 문제에 관심이 많다.	

시의성	당시의 상황이나 사정과 딱 들어맞는 성질.
Eng) timeliness	
예) 이 책은 시의성 있는 주제를 다루고 있어 많은 사람들의 관심을 받았다.	

신랄하다	1. 형용사 맛이 아주 쓰고 맵다. 2. 형용사 사물의 분석이나 비평 따위가 매우 날카롭고 예리하다.
유) 맵다, 날카롭다	Eng) sharp, severe, harsh
예) 그는 정부의 정책에 대해 신랄하게 비판했다.	

신실하다	믿음직하고 착실하다.
유) 견실하다, 진실하다, 착실하다	Eng) sincere, trustworthy, faithful
예) 그는 신실한 기독교 신자이다.	

신오	신비하고 오묘함.
유) 신비, 오묘	Eng) mystery
예) 그 광경은 매우 신오했다.	

실리	실제로 얻는 이익.
유) 실속, 실익, 이익	Eng) benefit, profit
예) 그녀는 명분보다 실리를 추구하는 사람이다.	

13일차 : 실~역

실의	뜻이나 의욕을 잃음.
유) 낙심, 실망, 절망	Eng) dejection
예) 그는 시험에 떨어져 실의에 젖은 표정을 짓고 있다.	

아전인수	자기에게만 이롭게 되도록 생각하거나 행동함을 이르는 말.
유) 견강부회	Eng) 아전인수의 1. selfish 2. self-seeking
예) 자신에게 불리할 때만 바뀌는 그녀의 태도는 아전인수 그 자체였다.	

아집	자기중심의 좁은 생각에 집착하여 다른 사람의 의견이나 입장을 고려하지 아니하고 자기만을 내세우는 것.
유) 고집, 인집	Eng) insistence, obduracy
예) 그의 주장은 잘못된 편견과 아집에 불과했다.	

알선	남의 일이 잘되도록 주선하는 일.
유) 소개, 주선	Eng) arrangement
예) 친구의 알선으로 지금의 남자친구와 만나게 되었다.	

양산	많이 만들어 냄.
유) 다산, 다작	Eng) mass production
예) 많은 학생들이 신조어를 양산하고 있다.	

양상	사물이나 현상의 모양이나 상태.
유) 모습, 모양, 상태	Eng) aspect, appearance
예) 나라가 발전하면서 시민들 삶의 양상이 많이 달라졌다.	

역설	어떤 주의나 주장에 반대되는 이론이나 말. [문학에서] 겉으로 보기에는 명백히 모순되고 부조리하지만, 그 속에 진실을 담고 있는 표현.
유) 이견, 이론	Eng) paradox
예) 문학에서는 역설법이 종종 사용된다.	

역설	자기의 뜻을 힘주어 말함. 또는 그런 말.
유) 강변, 강조, 주장	Eng) accentuation
예) 선생님은 자기 주도 학습의 중요성을 역설했다.	

역전	형세가 뒤집힘. 또는 형세를 뒤집음.
유) 반전	Eng) turn around, turn the tables (on)
예) 이어달리기 마지막 주자가 역전에 성공했다.	

역정	몹시 언짢거나 못마땅하여서 내는 성.
유) 골, 부아, 성	Eng) anger
예) 화가 난 아버지는 역정을 내며 나를 다그치셨다.	

14일차 : 연~예

연속	끊이지 아니하고 죽 이어지거나 지속함.
유) 계속	Eng) 연속해서 consecutively
예) 그는 연속해서 3번이나 문제를 풀어냈다.	

연역	어떤 명제로부터 추론 규칙에 따라 결론을 이끌어 냄.
유) 추리	Eng) deduction, deductive reasoning
예) 연역 추리는 일반적인 사실이나 원리를 전제로 개별적인 사실이나 특수한 다른 원리를 이끌어 내는 추리이다.	

연임	원래 정해진 임기를 다 마친 뒤에 다시 계속하여 그 직위에 머무름.
유)	Eng) serve consecutive terms
예) 미국은 대통령 연임이 가능하다.	

연정	이성을 그리워하고 사모하는 마음.
예) 동민이는 그녀에게 연정을 품고 있었다.	

연패	운동 경기 따위에서 연달아 우승함.
유) 연승	Eng) successive[consecutive] victories
예) 그 선수는 작년에 이어 올해 경기에서도 우승함으로써 2년 연패를 기록했다.	

연패	싸움이나 경기에서 계속하여 짐.
Eng) successive[consecutive] defeats	
예) 이번 경기를 통해 우리는 연패의 늪에서 벗어났다.	

영결	죽은 사람과 산 사람이 서로 영원히 헤어짐.
유) 영별	Eng) separation by death
예) 선생님을 모시고 하룻밤을 쉬고 이튿날 떠난 것이 할머니와 나와의 영결이 되고 말았다.	

영속	영원히 계속함.
유) 계속, 존속	Eng) last[continue, stand] forever, remain permanently
예) 젊은은 영속되지 않는다.	

예기	앞으로 닥쳐올 일에 대하여 미리 생각하고 기다림.
유) 예견, 예상, 예측	Eng) prediction, forecast
예) 예기치 못한 질문에 대답하지 못해 면접을 망쳤다.	

예속적	남의 지배나 지휘 아래 매인 것.
유) 의존적, 종속적	Eng) dependent, subordinate
예) 그 구단의 매출 구조는 지자체의 지원이 80퍼센트가 넘는 예속적 경제 구조이다.	

15일차 : 완~위

완고하다	고집이 세고 사리에 어둡다.
유) 고집이 세다	Eng) stubborn, obstinate
예) 옆집 할아버지는 완고한 사람이다.	

완연하다	1. 형용사 눈에 보이는 것처럼 아주 뚜렷하다. 2, 형용사 모양이 서로 비슷하다
유) 뚜렷하다, 명명백백하다, 비슷하다	Eng) clear, distinct, similar, alike
예) 그의 얼굴에는 병색이 완연하여 보는 이들의 마음을 아프게 했다.	

외람하다	하는 행동이나 생각이 분수에 지나치다.
유) 주제넘다	Eng) (be) impudent, presumptuous
예) 이 아이는 행실이 몹시 외람하고 방자하다. , "외람된 말씀이지만……."	

요령	1. 명사 가장 긴요하고 으뜸이 되는 골자나 줄거리. 2. 명사 일을 하는 데 꼭 필요한 묘한 이치. 3. 명사 적당히 해 넘기는 잔꾀.
유) 솜씨, 수단	Eng) trick, know-how
예) 국어 공부에도 요령이 필요한 것 같아.	

요원하다	아득히 멀다.
유) 까마득하다, 멀다, 아득하다	Eng) remote, distant
예) 통일은 아직도 요원해 보인다.	

요위하다	행동이 경솔하고 거짓이 많다.
유) 경솔하다	Eng) rash, careless
예) 그는 요위한 성격 때문에 곁에 남은 친구가 한 명도 없다.	

요체	중요한 점(깨달음).
유) 깨달음	Eng) key (point)
예) 내 말의 요체를 제대로 파악해라	

우회적	곧바로 가지 않고 멀리 돌아서 가는 것.
유) 간접적	Eng) indirect
예) 그는 말하고자 하는 것을 우회적으로 표현했다.	

위법	법률이나 명령 따위를 어김.
유) 범법, 불법	Eng) illegality, illegitimacy
예) 위법 행위에 대해 벌금이 부과되었다.	

위조	어떤 물건을 속일 목적으로 꾸며 진짜처럼 만듦.
유) 날조, 변조	Eng) fake
예) 이 위조 지폐는 진짜와 구분이 안 된다.	

16일차 : 위~이

위탁하다	남에게 사물이나 사람의 책임을 맡기다.
유) 맡기다, 부탁하다	Eng) assign, entrust, delegate
예) 그녀는 재산을 은행에 위탁하였다.	

유래	사물이나 일이 생겨남. 또는 그 사물이나 일이 생겨난 바.
유) 기원, 내력	Eng) origin
예) 이 책의 내용은 전설에 유래를 두고 있다.	

유려하다	글이나 말, 곡선 따위가 거침없이 미끈하고 아름답다.
유) 매끄럽다, 유창하다	Eng) elegant, smooth
예) 무용수는 유려한 곡선의 동작으로 무대를 장악했다.	

유례	1. 명사 같거나 비슷한 예. 2. 명사 이전부터 있었던 사례.
유) 선례	Eng) precedent
예) 이 일은 역사상 유례가 없는 이변이다.	

유린	남의 권리나 인격을 짓밟음.
유) 침범, 침손, 침해	Eng) violation
예) 우리는 북한 주민들이 인권을 유린당하는 것에 대해 관심을 가져야합니다.	

유서	예로부터 전하여 내려오는 까닭과 내력.
유) 내력, 내유, 유래	Eng) pedigree
예) 그의 집안은 유서 있는 가문이다.	

유의어	뜻이 서로 비슷한 말.
유) 유어	Eng) synonym
예) 이 어휘 책을 통해서는 단어의 유의어도 공부할 수 있다.	

유책	하여야 할 임무가 있음.
Eng) liability	
예) 형사 책임은 범죄의 구성 요건에 해당하는 위법 및 유책 행위에만 인정된다.	

읍소	눈물을 흘리며 간절히 하소연함.
유) 애소, 하소연, 호소	Eng) appeal, plea
예) 강도에게 제발 목숨만은 살려 달라고 읍소하였다.	

이견	어떠한 의견에 대한 다른 의견. 또는 서로 다른 의견.
유) 반론, 이의	Eng) different view, different opinion
예) 이 결정에 대해서는 모두가 이견이 없다.	

17일차 : 이~자

이지적	이지(이성과 지혜)로써 행동하거나 판단하는 것.
유) 지성적, 지적	Eng) intelligent, intellectual
예) 나는 직감보다는 이지적 판단에 따라서 행동한다.	

이질적	성질이 다른 것.
Eng) different, disparate	
예) 해외 여행 중에는 이질적인 문화를 접하는 경우가 많다	

인고하다	괴로움을 참다.
유) 인내하다	Eng) endure
예) 어머니는 평생을 인고하며 살아오셨다.	

인력 (人力)	사람의 힘.
유) 노동력, 노력	Eng) manpower, labor force
예) 우리나라는 인력이 풍부한 나라이다,	

인력 (引力)	공간적으로 떨어져 있는 물체끼리 서로 끌어당기는 힘.
유) 끌힘	Eng) gravitation
예) 다른 종류의 전기 사이에는 인력이 작용한다.	

인습	1. 명사 예전의 풍습, 습관, 예절 따위를 그대로 따름. 2. 명사 이전부터 전하여 내려오는 습관.
유) 답습, 관습	Eng) conventionality, old custom, outmoded tradition
예) 이 집단은 아직 인습에 얽매어있다.	

입각	어떤 사실이나 주장 따위에 근거를 두어 그 입장에 섬.
유) 근거, 의거	Eng) grounds, basis
예) 그것은 사실에 입각한 주장이 아니다.	

자명하다	설명하거나 증명하지 아니하여도 저절로 알 만큼 명백하다.
유) 명백하다, 분명하다	Eng) obvious, certain, clear, apparent
예) 이번 사건이 우리에게 주는 교훈은 자명하다.	

자문	어떤 일을 좀 더 효율적이고 바르게 처리하려고 그 방면의 전문가나, 전문가들로 이루어진 기구에 의견을 물음.
유) 구문, 문의	Eng) consultation, advice
예) 우리는 전문가의 자문을 받아 일을 처리했다.	

자조적	비웃는 듯한 것.
Eng) self-ridicule	
예) 그는 자조적인 태도로 자신의 삶을 비관했다.	

18일차 : 잔~제

잔존	없어지지 아니하고 남아 있음.
유) 잔류, 잔여, 잔재	Eng) 잔존하다 be left, remain
예) 전쟁의 상처는 이 땅에 아직까지 잔존한다.	

장력	당기거나 당겨지는 힘.
Eng) tension	
예) 그 활은 장력이 너무 세서 도저히 당길 수가 없었다.	

재연	1. 명사 연극이나 영화 따위를 다시 상연하거나 상영함. 2. 명사 한 번 하였던 행위나 일을 다시 되풀이함.
유) 리바이벌, 재생	Eng) rerunning, encore
예) 타이타닉을 재연해 달라는 요청이 들어왔다.	

재현	1. 명사 다시 나타남. 또는 다시 나타냄. 2. 명사 이미 경험하거나 학습한 정보를 다시 기억해 내는 일.
유) 재생, 표상, 표현	Eng) reappearance
예) 사고 당시의 상황을 재현하다.	

저의	겉으로 드러나지 아니한, 속에 품은 생각.
유) 속뜻	Eng) real[true] intention
예) 그가 왜 갑자기 내게 잘해 주는지 그 저의를 모르겠다.	

저촉	서로 부딪치거나 모순됨.
유) 모순, 위반, 위배	Eng) conflict, collision, contradiction
예) 이는 분명히 법에 저촉되는 행위이다.	

적법	법규에 맞음. 또는 알맞은 법.
유) 여법, 유효, 합법	Eng) legality, legitimacy, lawfulness
예) 우리는 적법한 절차에 따랐다.	

전언	말을 전함. 또는 그 말.
유) 전설, 탁언	Eng) message, word
예) 전쟁터에 간 아들이 죽었다는 전언을 들은 어머니는 정신을 잃었다,	

제고	수준이나 정도 따위를 끌어올림.
Eng) improve, boost, enhance	
예) 그 기업은 생산성을 제고하기 위해 회의를 통해 여러 아이디어를 모았다.	

제휴하다	행동을 함께하기 위하여 서로 붙들어 도와주다.
유) 돕다, 손잡다, 협력하다	Eng) partner
예) 우리 회사는 외국 회사와 제휴하여 신제품을 개발하기 위해 애쓰고 있다.	

19일차 : 조~주

조명하다	어떤 대상을 일정한 관점으로 바라보다.
유) 관찰하다, 바라보다	Eng) examine
예) 알려지지 않은 위인들의 삶을 조명하다.	

조소	보듯이 빈정거리거나 업신여기는 일. 또는 그렇게 웃는 웃음.
유) 기롱, 비웃음, 야유	Eng) mock, ridicule

존속	어떤 대상이 그대로 있거나 어떤 현상이 계속됨.
유) 계속, 영속, 존립	Eng) continue to exist, subsist

존함	남의 이름을 높여 이르는 말.
유) 성명, 성함, 이름	Eng) name
예) 나는 공손하게 그의 존함을 여쭤봤다.	

종속	자주성이 없이 주가 되는 것에 딸려 붙음.
유) 예속	Eng) subordination
예) 부부는 종속적인 관계가 아니라 대등한 관계이다.	

종합	여러 가지를 한데 모아서 합함.
유) 일괄, 총괄, 취합, 통괄	Eng) synthesize, put together
예) 우리는 이번 종합 평가에서 높은 점수를 받아야만 해.	

좌시	참견하지 아니하고 앉아서 보기만 함.
유) 방관, 좌관	Eng) 방관하다 look on, remain a spectator
예) 더이상 이 상황을 좌시만 하고 있을 수는 없다.	

주리다	제대로 먹지 못하여 배를 곯다.
유) 곯다, 굶주리다	Eng) starve, go hungry
예) 먹는 모습을 보아 그가 몹시 배를 주리고 있었다는 사실을 알 수 있었다.	

주리다	원하는 것을 얻지 못하여 몹시 아쉬워하다.
유) 곯다	Eng) starve
예) 그 아이들은 정에 주려 작은 관심에도 기뻐한다.	

주의(적)	일정하게 체계화된 학설이나 이론을 가지는 것.
Eng) -ism individualism(개인주의), socialism(사회주의), liberalism(자유주의)	

20일차 : 주~지

주정적	이성이나 의지보다 감성을 중히 여기는 것.
Eng) emotional	

주창하다	주의나 사상을 앞장서서 주장하다.
유) 부르짖다, 앞장서다	Eng) advocate
예) 최근에 비혼을 주창하는 청년들이 늘어나고 있다.	

중개	제삼자로서 두 당사자 사이에 서서 일을 주선함.
유) 거간, 매개, 소개	Eng) mediation, moderation
예) 홍콩은 중국과 다른 나라들을 잇는 중개 무역을 통해 수익을 얻는다.	

중계	1. 명사 중간에서 이어 줌. 2. 명사 극장, 경기장, 국회, 사건 현장 등 방송국 밖에서의 실황을 방송국이 중간에서 연결하여 방송하는 일.
Eng) transmission, relay, broadcast	
예) 월드컵 경기는 전 세계로 중계되었다.	

중도적	어느 한쪽으로 치우치지 아니하고 가운데에 있는 것.
유) 중간적	Eng) centrist
예) 그는 중도적인 입장을 취하고 있다.	

중임	중대한 임무.
유) 대역, 중책	Eng) a heavy responsibility, an important duty[mission]
예) 그는 중임을 담당할 만한 재목감이 못 된다.	

중재	분쟁에 끼어들어 쌍방을 화해시킴.
유) 조정	Eng) arbitration, mediation
예) 경찰의 중재로 소동이 끝났다.	

중추	사물의 중심이 되는 중요한 부분.
유) 줏대, 중심	Eng) nucleus, pivot
예) 경찰은 이번 사건의 중추 인물을 찾고 있다.	

지양하다	더 높은 단계로 오르기 위하여 어떠한 것을 하지 아니하다.
유) 삼가다, 아니하다	Eng) abstain (from), refrain (from), keep off
예) 일회용품 사용을 지양해야 한다.	

지엽	본질적이거나 중요하지 아니하고 부차적인 부분.
유) 부차적, 이차적	Eng) minor details, nonessentials
예) 선생님은 시험 문제를 지엽적으로 출제하시는 경향이 있다.	

21일차 : 지~치

지척	아주 가까운 거리.
유) 눈앞, 목전	Eng) presence, proximity, immediate vicinity
예) 망원경으로 보니 멀리 있는 건물도 지척에 있는 것과 같이 느껴진다.	

지향하다	어떤 목표로 뜻이 쏠리어 향하다.
유) 목표하다, 향하다	Eng) pursue, seek

집약적	모아서 뭉뚱그리는 것.
Eng) intensive	
예) 반도체 산업은 기술 집약적 산업으로 고도의 기술 요구된다.	

차치	내버려 두고 문제 삼지 아니함.
유) 차치물론, 치지	Eng) 차치하다 let alone, set[put] aside[apart]
예) 자신의 문제를 차치하고 남의 탓으로 돌리는 것은 옳지 않다.	

착안	어떤 일을 주의하여 봄. 또는 어떤 문제를 해결하기 위한 실마리를 잡음.
유) 발상, 아이디어, 착목, 착상	Eng) aim, notice, attention, observation, conception
예) 그는 발음할 때의 신체 구조에 착안하여 글자를 만들었다.	

참작	이리저리 비추어 보아서 알맞게 고려함.
유) 감안, 고려, 참고	Eng) consideration
예) 그는 정상이 참작되어 기소 유예로 풀려났다.	

참회	자기의 잘못에 대하여 깨닫고 깊이 뉘우침.
유) 고백, 뉘우침, 회개	Eng) repentance, penitence, contrition
예) 그는 감옥에서 참회의 나날을 보내고 있다.	

청사진	미래에 대한 희망적인 계획이나 구상.
유) 계획, 구상, 설계	Eng) blueprint (for)
예) 그는 스마트 도시에 대한 구체적인 청사진을 가지고 있다.	

촉발	어떤 일을 당하여 감정, 충동 따위가 일어남. 또는 그렇게 되게 함.
유) 도발, 자극	Eng) 촉발시키다 precipitate, unleash
예) 그의 답답한 태도는 국민들의 불만을 촉발했다.	

치부	남에게 드러내고 싶지 아니한 부끄러운 부분.
예) 그녀는 나와 치부까지 드러낼 정도로 친하지는 않았다.	

22일차 : 치~팽

치사	1. 명사 죽음에 이름. 또는 죽게 함. 2. 명사 다른 사람을 칭찬함. 또는 그런 말.
유) 치명, 칭찬	Eng) being fatal[lethal], killing
예) 상해 치사 혐의로 구속 영장을 신청하다.	

타개	매우 어렵거나 막힌 일을 잘 처리하여 해결의 길을 엶.
유) 극복, 수습, 해결	Eng) overcome, resolve, get over, break through
예) 이 난국을 타개할 수 있도록 모두의 힘을 합쳐야 한다.	

탄원	사정을 하소연하여 도와주기를 간절히 바람.
유) 사정, 애원	Eng) entreaty, appeal
예) 나는 법원에 탄원서를 제출했다.	

투기	1. 명사 기회를 틈타 큰 이익을 보려고 함. 또는 그 일. 2. 명사 내던져 버림.
유) 도박, 모험, 방척, 유기	Eng) dump, throw away
예) 폐기물 불법 투기가 늘어나자 단속이 더욱 강화되었다.	

파고	1. 명사 물결의 높이. 2. 명사 어떤 관계에서의 긴장의 정도를 비유적으로 이르는 말.
Eng) 1. height of a wave, wave height 2. tension	
예) 중동 지역에 다시 긴장의 파고가 높아지고 있다.	

파급	어떤 일의 여파나 영향이 차차 다른 데로 미침.
유) 영향, 파동	Eng) influence, effect, impact
예) 이 새로운 정책이 우리 경제에 큰 파급을 미칠 것으로 예상된다.	

파기	1. 명사 깨뜨리거나 찢어서 내버림. 2. 명사 계약, 조약, 약속 따위를 깨뜨려 버림.
유) 유기, 취소, 폐기	Eng) 1. destruction, 2. cancellation
예) 그녀는 계약을 파기하는 바람에 계약금을 모두 잃었다.	

패자	싸움이나 경기에 진 사람, 혹은 그런 단체.
유) 패배자, 패전자	Eng) loser
예) 어느 경기에서나 승자와 패자는 생기기 마련이다.	

패자	1. 명사 운동 경기나 어느 분야에서 으뜸이 되는 사람. 또는 그런 단체. 2. 명사 무력이나 권력, 권모술수로써 천하를 다스리는 사람.
유) 패권자	Eng) winner, champion
예) 해상의 패자, 장보고	

팽배	어떤 기세나 사조 따위가 매우 거세게 일어남.
유) 대두, 분출	Eng) surging, overflowing
예) 우리는 능력주의적 사고가 팽배한 사회에 살고 있다.	

23일차 : 폄~해

폄훼하다	남을 깎아내려 헐뜯다.
유) 비방하다	Eng) ~을 폄훼하다 talk [something] down
예) 남을 폄훼하는 일은 곧 자신을 깎아내리는 것과 다름없다,	

포착	1. 명사 꼭 붙잡음. 2. 명사 요점이나 요령을 얻음. 3. 명사 어떤 기회나 정세를 알아차림.
유) 묘득, 터득, 파악	Eng) catch, capture, seize
예) 성공을 위해선 기회를 포착하는 것이 중요하다.	

표류	1. 명사 정처 없이 돌아다님 2. 명사 어떤 목적이나 방향을 잃고 헤맴. 또는 일정한 원칙이나 주관이 없이 이리저리 흔들림.
유) 방랑, 방황	Eng) drift
예) 국정은 혼돈과 표류를 거듭했다.	

피력하다	생각하는 것을 털어놓고 말하다.
유) 말하다, 밝히다	Eng) express, set out
예) 그는 그의 의견을 피력했다.	

피사체	사진을 찍는 대상이 되는 물체.
Eng) subject (for photography)	
예) 이 카메라는 피사체와의 거리를 자유자재로 조절할 수 있다.	

하자	옥의 얼룩진 흔적이라는 뜻으로, '흠'을 이르는 말.
유) 불량, 티, 흠	Eng) flaw, defect, fault
예) 물건에 하자가 있어 가격을 내렸다.	

할애	소중한 시간, 돈, 공간 따위를 아깝게 여기지 아니하고 선뜻 내어 줌.
유) 내주다	Eng) 할애하다 part with (a thing) , share (a thing with a person)
예) 저에게 시간을 조금만 할애해주시겠습니까?	

함구	입을 다문다는 뜻으로, 말하지 아니함을 이르는 말.
유) 묵비, 침묵	Eng) 함구하다 remain silent, keep one's mouth shut[closed]
예) 어제 검거된 용의자는 지금까지 함구하고 있다.	

함축	1. 명사 겉으로 드러내지 아니하고 속에 간직함. 2. 명사 말이나 글이 많은 뜻을 담고 있음.
유) 내포, 암시, 함의	Eng) implication, significance, comprehension
예) 이 시의 마지막 부분은 시의 주제를 함축적으로 드러낸다.	

해박하다	여러 방면으로 학식이 넓다.
유) 다식하다, 박식하다	Eng) erudite, learned, well-informed, knowledgeable
예) 동완이는 어렸을 때부터 해박한 지식으로 집안 어른들을 놀라게 했다.	

24일차 : 해~횡

해후	오랫동안 헤어졌다가 뜻밖에 다시 만남.
유) 갱봉, 재봉, 재회	Eng) reunion
예) 전쟁 이후 그는 가족들과 수십 년 만에 극적인 해후를 했다.	

향수	고향을 그리워하는 마음이나 시름.
유) 망향, 사향, 노스탤지어	Eng) homesickness, nostalgia
예) 일기장을 보다가 어린 시절에 대한 향수에 젖었다.	

호가하다	1. 동사 팔거나 사려는 물건의 값을 부르다. 2. 동사 큰 소리로 노래를 부르다.
유) 고가하다, 고창하다	
예) 천 만원을 호가하는 코트	

호오	좋음과 싫음
Eng) one's likes and dislikes	
예) 소진이는 호오의 감정이 뚜렷하지 않다.	

화두	1. 명사 이야기의 첫머리. 2. 명사 관심을 두어 중요하게 생각하거나 이야기할 만한 것.
유) 말머리	Eng) topic[subject] (of conversation), talking point
예) 요즘 학생들 사이에서 가장 큰 화두는 다음 달에 있을 대학수학능력시험이다.	

환기	1. 명사 탁한 공기를 맑은 공기로 바꿈. 2. 명사 주의나 여론, 생각 따위를 불러일으킴.
유) 통기, 통풍	Eng) 1. ventilation 2. arouse
예) 당국은 새 정책에 대한 여론의 환기를 위해 대대적인 홍보 행사를 마련했다.	

회고하다	1. 동사 뒤를 돌아보다. 2. 동사 지나간 일을 돌이켜 생각해보다.
유) 돌아보다, 돌이키다	Eng) retrospect
예) 그는 지난 날을 회고하는 자서전을 쓰고 있다.	

회의	의심을 품음. 또는 마음속에 품고 있는 의심.
유) 설의, 의문	Eng) doubt, skepticism
예) 그녀는 인생의 회의를 느끼고 있다.	

회자	회와 구운 고기라는 뜻으로, 칭찬을 받으며 사람의 입에 자주 오르내림을 이르는 말.
Eng) 회자되다 be on everyone's lips, be the talk of the town	
예) 한 배우의 미담을 사람들의 입을 통해 회자 되고 있다.	

횡행	1. 명사 모로 감. 2. 명사 아무 거리낌 없이 제멋대로 행동함.
유) 방행, 분일, 활보	Eng) rampancy, prevalence, prevalency
예) 사회 기강은 해이해지고 국민의 생활은 처참하여 각지에서 도적이 횡행하였다.	

25일차 : 고전어 읽는 법

ㆍ(아래 아)

ᄀᆞᄂᆞᆫ(가는) / ᄒᆞᄂᆞᆫ(하는) / ᄀᆞᄐᆞ니(같으니)

ᄀᆞᅀᆞᆯ(가을) / ᄇᆡᆨ발옹 (백발옹)

어두자음군 → 맨 뒷 자음의 된소리

ᄠᅳᆮ(뜻), ᄭᅮᆷ(꿈), ᄣᅢ(때), ᄭᅩᆾ(꽃)

이어적기

ᄉᆞᄉᆞ미(사슴이), 말ᄊᆞ미(말씀이), 조ᄒᆞᆫ(좋은)

구개음화 이전 → 구개음화

듕국(중국), 둏다(좋다), 펴디(펴지)

두음법칙

니러하니(일어나니)

원순모음화

믈(물), 블(불), 플(풀)

의문문 '고', '가', '-ㄴ다'

또 머믄고(또 머물렀나), 아는다 모르는다(아는가 모르는가)

cf) 판정의문문 '아'형, 설명의문문 '오'형

26일차 : 가~곶

가로다	말하다
그 아내가 가로되... [도미설화] (그 아내가 말하길)	

강호	1. 강과 호수, 자연을 아울러 이르는 말. 2. (옛날에) 현실을 도피하여 살던 자연.
강호에 봄이 드니 미친 흥(興)이 절로 난다. [강호사시사]	

건곤	하늘과 땅을 아울러 이르는 말.
건곤(乾坤)이 폐색(閉塞)하야 백셜(白雪)이 한 빗친 제 [사미인곡] (천지가 겨울의 추위로 얼어 생기가 막혀 흰눈이 일색으로 덮혀 있을 때)	

계워	못 이겨
어적(漁笛)도 흥을 계워 ᄃᆞᆯ롤 ᄯᆞ롸 브니ᄂᆞ다. [면앙정가] (어부의 피리도 흥을 이기지 못하여 달을 따라 분다)	

고초	꼿꼿이
댜ᄅᆞᆫ ᄒᆡ 수이 디여 긴 밤을 고초 안자 [사미인곡] (짧은 해가 쉬이 지어 긴 밤을 꼿꼿이 앉아.)	

고텨	다시
염냥(炎凉)이 ᄯᅢ롤 아라 가ᄂᆞᆫ ᄃᆞᆺ 고텨 오니 [사미인곡] (더위와 추위가 때를 알아 가는 듯 다시 오니)	

고하다	어떤 사실을 이야기하거나 알리다.

곡절	사정이나 까닭
아무리 생각해도 그 곡절을 헤아리지 못하여 [숙영낭자전]	

곤궁	1. 가난하여 살림이 구차함. 2. 처지가 이러지도 저러지도 못하게 난처하고 딱함.

곶	꽃

대동강 아즐가 대동강 건너편 고즐여 [서경별곡]
(대동강 건너편 꽃을)

27일차 : 과~녹

과인하다	(능력, 재주, 지식, 덕망 따위가) 보통 사람보다 뛰어나다

괴다	1. 사랑하다. 2. 술이 익다.

내 얼굴 이 거동이 님 괴얌즉 ᄒᆞᆫ가마ᄂᆞᆫ [속미인곡]
(내 모습과 이 행동이 임에게 사랑을 받음직한가마는.)

규방, 사창	여인의 방

사창에 홀로 기대앉아 수놓기도 귀찮구나. [이생규장전]

긋다	끊어지다, 멈추다

노픈 듯 나즌 듯 긋는 듯 닛는 듯 [면앙정가]
(높은 듯 낮은 듯 끊어질 듯 이어지는 듯)

남여	가마

남여를 배야 타고 솔 아릐 구븐 길로 오며 가며 하난 적의 [면앙정가]
(가마를 재촉해 타고 소나무 아래 굽은 길로 오며 가며 하는 때에)

낫브다	부족하다

아ᄎᆞᆷ이 낫브거니 나조ᄒᆡ라 슬흘소냐. [면앙정가]
(아침이 부족하니 저녁이라 싫겠느냐)

낭자하다	1. 여기저기 흩어져 어지럽다. 2. 왁자지껄하고 시끄럽다.
사면에 울음 소리가 낭자하여 산천이 무너지는 듯했다. [박씨전]	

녀름	여름
강호(江湖)에 녀름이 드니 초당(草堂)에 일이 업다. [강호사시가] (강호에 여름이 닥치니 초당에 있는 이 몸이 할 일이 없다.)	

녹사의	우비
청약닙(靑篛笠)은 써잇노라 녹사의(綠蓑依) 가져오냐. [어부사시사] (삿갓은 이미 쓰고 있노라, 도롱이는 가져왔느냐?)	

녹수	푸른 물
청산(靑山)도 절로절로 녹수(綠水)도 절로절로 [청산도 절로절로] (푸른 산도 자연 따라 저절로 맑은 물도 저절로)	

28주차 : 녹~도

녹양/양류	버드나무
녹양(綠楊)의 우는 황앵(黃鶯) 교태 겨워 하는괴야 [면앙정가] (버드나무에서 우는 꾀꼬리는 흥에 겨워 아양을 떠는구나)	

누항	자신의 집을 겸손하게 이름
누항(陋巷)에 안거(安居)하여 단표(簞瓢)에 시름 없고 [낙지가] (누추한 곳에 편안히 있어 단표의 근심 없고)	

늣기다	흐느끼다
하 어척 업서셔 늣기다가 그리 되게 [신흠의 시조] (세상일이 하도 어처구니가 없어서 느끼다가 그렇게 웃는 것이네.)	

님ᄇᆡ, 곰ᄇᆡ	앞, 뒤

덕(德)이란 곰ᄇᆡ예 받ᄌᆸ고 / 복(福)이란 림ᄇᆡ예 받ᄌᆸ고 [동동]
(덕은 뒷잔에(신령님께) 바치고 / 복이란 앞잔에(임금님께) 바칩니다.)

닛다	이어지다

노픈 듯 나즌 듯 긋는 듯 닛는 듯 [면앙정가]
(높은 듯 낮은 듯 끊어질 듯 이어지는 듯)

다호라	같다

유월(六月)ㅅ 보로매 아으 별해 ᄇᆞ룐 빗 다호라 [동동]
(유월 보름에 아아 벼랑에 버린 빗과 같구나)

단사표음	소박한 밥상

단사표음(簞食瓢飮)을 이도 족(足)히 너기노라. [누항사]
(소박한 밥을 먹는 생활도 만족하게 여긴다)

대작하다	크게 일어나다

뱃머리에 나서 보니 새파란 물결이며 울울울 바람소리 풍랑이 대작하여 뱃전을 탕탕 치니 심청이 깜짝 놀라 뒤로 퍽 주저앉으며 [심청전]

도로혀	돌이켜, 도리어

도로혀 풀쳐 혜니 이리 ᄒᆞ여 어이 ᄒᆞ리. [규원가]
(돌이켜 풀어 생각하니 이리하여 어이하리)

도화	복숭아꽃

도화(桃花) 핀 시내 길히 방초주(芳草洲)의 니어셰라 [성산별곡]
(복숭아꽃 핀 시냇길이 꽃다운 풀이 우거진 물가에 이어졌구나)

29일차 : 둏~모

둏다	좋다

불휘기픈남ᄀᆞᆫᄇᆞᄅᆞ매아니뮐ᄊᆡ。곶됴코여름하ᄂᆞ니 [용비어천가]
(뿌리 깊은 나무는 바람에 아니 움직이니 꽃 좋고 열매 많나니.)

두견화	진달래꽃

송간(松間) 세로(細路)에 두견화(杜鵑花)ᄅᆞᆯ 부치 들고 [상춘곡]
(소나무 숲 사이로 난 오솔길에서 진달래꽃을 붙들고)

디다	(떨어) 지다

ᄭᅩᆺ 디고 새 닙 나니 녹음(綠陰)이 ᄭᆞᆯ렷ᄂᆞᆫᄃᆡ [사미인곡]
(꽃 지고 새 잎 나니 녹음이 깔렸는데)

띠집	뛰집, 소박한(초라한) 삶

산슈간(山水間) 바회 아래 뛰집을 짓노라 ᄒᆞ니 [만흥]
(산수 간 바위 아래 뛰집을 지으려 하니)

-ㄹ셰라	~ 할까 두렵다

선ᄒᆞ면 아니 올셰라 [가시리]
(서운하면 안 올까 두렵다)

만경(창)파	넓은 바다

일엽편주(一葉片舟)를 만경파(萬頃波)에 ᄯᅴ워 두고 [어부가]
(작은 쪽배를 끝없이 넓은 바다 위에 띄워 두고)

매양	늘, 항상

더도 덜도 말고 매양 그만 허여 있어 [고울사 저 꽃이여]
(더도 덜도 말고 언제나 그 정도만 하고 있어)

<table>
<tr><th>머호다</th><th>험하다</th></tr>
<tr><td colspan="2">산인가 구롬인가 머호도 머흘시고 [사미인곡]
(산인지 구름인지 험하기도 험하구나.)</td></tr>
</table>

<table>
<tr><th>모쳐라</th><th>마침</th></tr>
<tr><td colspan="2">모쳐라 밤일싀망졍 행혀 낫이런들 남 우일 번하괘라 [님이 오마 하거늘]
(마침 밤이기에 망정이지 행여 낮이었다면 남 웃길 뻔했구나.)</td></tr>
</table>

<table>
<tr><th>모쳠</th><th>초가집 처마</th></tr>
<tr><td colspan="2">모쳠(茅簷) 비쵠 ᄒᆡ를 옥루(玉樓)의 올리고져. [사미인곡]
(띳집 처마에 비친 해를 대궐에 올리고자 하니.)</td></tr>
</table>

30일차 : 뫼~백

<table>
<tr><th>뫼</th><th>산</th></tr>
<tr><td colspan="2">죽조반(粥早飯) 조석(朝夕) 뫼 녜와 ᄀᆞᆮ티 셰시ᄂᆞᆫ가. [속미인곡]
(아침 죽과 아침 저녁 진지는 옛날과 같이 잡수시는가?)</td></tr>
</table>

<table>
<tr><th>무상</th><th>모든 것이 덧없음, 늘 변함.</th></tr>
<tr><td colspan="2">무상(無狀)한 이 몸애 무산 지취(志趣) 이스리마난 [누항사]
(보잘것없는 이 몸이 무슨 뜻과 취향이 있으랴마는)</td></tr>
</table>

<table>
<tr><th>무색하다</th><th>겸연쩍고 부끄럽다, 무안하다</th></tr>
<tr><td colspan="2">... 도리어 무색하여 아무 말도 못 하거늘 [숙영낭자전]</td></tr>
</table>

<table>
<tr><th>물색없다</th><th>눈치없다</th></tr>
</table>

<table>
<tr><th>므슴다</th><th>무심하다 (원망)</th></tr>
<tr><td colspan="2">므슴다 녹사(錄事)니ᄆᆞᆫ 녯 나ᄅᆞᆯ 닛고신뎌 [동동]
(무심한 녹사님은 옛날을 잊고 계시는구나)</td></tr>
</table>

믈/블/플	물/불/풀

플은 어이ᄒᆞ야 프르ᄂᆞᆫ ᄃᆞᆺ 누르ᄂᆞ니 [오우가]
(풀은 어찌하여 푸르자마자 누렇게 변하는가?)

믜다	미워하다

믜리도 괴리도 업시 [청산별곡]
(미워할 이도 사랑할 이도 없이)

박덕	덕이 없음

박주산채	소박한 삶, 소박한 음식

아해야 박주산채(薄酒山菜)일망정 없다 말고 내어라. [짚방석 내지 마라]
(아이야 변변치 않은 술과 나물일지라도 좋으니 없다 말고 내오너라.)

백구	흰 갈매기

무심(無心)한 백구(白鷗)야 오라 ᄒᆞ며 말라 ᄒᆞ랴. [누항사]
(무심한 갈매기야, 나에게 오라하고 말라고 할까?)

31일차 : 백~삼

백이숙제	은나라 말기의 충신들

수양산(首陽山) ᄇᆞ라보며 이제를 한ᄒᆞ노라. [수양산 바라보며]
(수양산을 바라보며 백이와 숙제 그들을 원망하노라)

범상하다	평범하고 예사롭다, 일상적이다

“삼대는 용망이 실로 범상한 장수가 아니라, ...” [조웅전]

벼기다	우기다, 모함하다

벼기더시니 뉘러시니잇가 뉘러시니잇가 [만전춘]
(우기시던 이 누구였습니까 누구였습니까)

별헤	벼랑에

유월 보로매 아으 별헤 ᄇᆞ룐 빗 다호라 [동동]
(유월 보름에 아아 벼랑에 버려진 빗 같구나.)

부마[7]	임금의 사위

부용	연꽃

芙부蓉용을 고잣ᄂᆞᆫ ᄃᆞᆺ, 白백玉옥을 뭇것ᄂᆞᆫ ᄃᆞᆺ [관동별곡]
(연꽃을 꽂아 놓은 듯, 백옥을 묶어 놓은 듯)

사립문	사립짝을 달아서 만든 문으로 잡목의 가지나 수수깡, 갈대, 억새 같은 풀을 엮어 만듦.

적막한 사립문을 녹음(綠陰) 속에 닫았도다. [농가월령가]

삼기다	생기다, 태어나다, 만들다

이 몸 삼기실 제 님을 조차 삼기시니 [사미인곡]
(이 몸 태어날 때 님을 따라 생겨나니)

삼동	겨울

삼동(三冬)에 뵈옷 닙고 암혈(巖穴)에 눈비 마자 [삼동에 뵈옷 닙고]
(한겨울에 삼베옷을 입고 바위굴에서 눈비를 맞으며)

삼추	가을

삼하삼추 지나가고 낙목한천 또 되었네 [상사별곡]
(여름과 가을 다 지나가고 나뭇잎이 다 떨어진 겨울 되었네.)

---

7) 고려시대 원 간섭기 때에의 고려는 원나라의 '부마국'이었다. 고려의 왕은 원나라 황제의 '부마'였고, 고려의 왕비는 원나라 공주였다.

32일차 : 삼~싀

삼춘	봄
삼춘화류 (三春花柳) 호시절(好時節)의 경물(景物)이 시름업다. [규원가] (봄날 좋은 시절에 아름다운 경치를 보아도 아무 생각이 없다.)	

삼하	여름
삼하삼추 지나가고 낙목한천 또 되었네 [상사별곡] (여름과 가을 다 지나가고 나뭇잎이 다 떨어진 겨울 되었네.)	

상사몽	님 그린 꿈
임 그린 상사몽(相思夢)이 실솔(蟋蟀)의 넋이 되어 [님 그린 상사몽이] (임을 그린 꿈이 귀뚜라미의 넋으로 변하여서)	

세한고절	겨울의 심한 추위도 이겨내는 굳은 절개라는 의미로, 매화나 대나무를 상징하는 표현
아마도 세한고절은 너뿐인가 하노라 [눈 맞아 휘어진 대를] (아마도 겨울의 추위를 이겨내는 높은 절개를 지닌 것은 너뿐이다.)	

소부허유	소부와 허유, 중국 기산의 은자. (속세를 등진 사람들)
이제로 헤어든 소부허유 냑돗더라 [만흥] (이제 생각해 보니 소부와 허유가 영리했구나.)	

수간모옥	초가집
수간 모옥(數間茅屋)을 벽계수(碧溪水) 앏픠 두고 [상춘곡] (초가삼간을 맑은 시냇가 앞에 지어 놓고)	

수이	쉽게
청산리(靑山裏) 벽계수(碧溪水)야 수이 감을 자랑 마라. [청산리 벽계수야] (청산 속에 흐르는 푸른 시냇물아 빨리 흘러간다고 자랑 마라.)	

슬ᄏᆞ장	실컷
ᄆᆞᄋᆞᆷ의 머근 말ᄉᆞᆷ 슬ᄏᆞ장 ᄉᆞᆲ쟈 ᄒᆞ니 [속미인곡] (마음에 먹은 말을 실컷 사뢰자 하니)	

슳다	싫다
ᄂᆡ 빈천(貧賤) 슬히 너겨 [누항사] (내 빈천을 싫게 여겨)	

싀어디여	사라져서, 죽어서
ᄎᆞᆯ하리 싀어디여 범나븨 되오리라. [사미인곡] (차라리 사라져서 범나비 되오리라.)	

33일차 : 어~왈

시비	사립문
시비(柴扉)란 뉘 다드며 딘 곳츠란 뉘 쓸려뇨. [면앙정가] (사립문은 누가 닫으며 진 꽃은 누가 쓸겠는가?)	

실솔[8]	귀뚜라미
가을 달 방에 들고 실솔(蟋蟀)이 상(床)에 울 제 [규원가] (가을 달이 방에 들고 귀뚜라미가 침상에서 울 때)	

아치고절	아담한 풍치와 높은 절개
아마도 아치고절(雅致高節)은 너뿐인가 하노라. [매화사]	

애끊다	몹시 슬픔

8) 문학 작품에서 꾀꼬리 등과 같이 '청각적 심상'을 동반한다.

어리다	어리석다

이 마음 어리기도 임 위한 탓이로세 [견회요]
(이 마음 어리석은 것도 모두가 임(금)을 위하기 때문이다.)

어엿브다	불쌍하다

어엿븐 그림재 날 조ᄎᆞᆯ ᄲᅮᆫ이로다 [속미인곡]
(가엾은 그림자만이 날 좇을 뿐이로다.)

얼굴	모습 (몸 전체)

내 얼굴 이 거동이 님 괴얌즉 ᄒᆞᆫ가마ᄂᆞᆫ [속미인곡]
(내 모습 이 거동이 임께서 사랑함직 한가마는)

얼다	사랑하다

어론님 오신 밤이여든 구뷔구뷔 펴리라 [황진이의 시조]
(사랑하는 임 오신 밤이거든 굽이굽이 펴리라.)

얼우다	얼리다, 얼게 하다

여름	열매

불휘 기픈 남ᄀᆞᆫ ᄇᆞᄅᆞ매 아니 뮐ᄊᆡ 곶 됴코 여름 하ᄂᆞ니 [용비어천가]
(뿌리가 깊은 나무는 바람에도 흔들리지 아니하므로, 꽃이 좋고 열매도 많으니)

34일차 : 연~원

연하	안개와 노을

연하일휘	안개와 노을과 햇빛

연하일휘(煙霞日輝)ᄂᆞᆫ 금수(錦繡)ᄅᆞᆯ 재폇ᄂᆞᆫ ᄃᆞᆺ [상춘곡]
(안개와 노을과 빛나는 햇살은 수 놓은 비단을 펼쳐 놓은 듯하구나)

오면되다	방정맞다

오면된 계셩(鷄聲)의 ᄌᆞᆷ은 엇디 ᄭᆡ돗던고 [속미인곡]
(방정맞은 닭소리에 잠은 어찌 깨었던고?)

왈	말하다

외다	그르다, 잘못되다

슬프나 즐거오나 옳다 하나 외다 하나 [견회요]
(슬프나 즐거우나 옳다 하나 그르다 하나)

외람되다	하는 짓이 분수에 지나침

여러 두령님 앞에 심히 외람되오나 대접주님의 지명이시니 우매한 소견을 말씀드릴까 하옵니다. [녹두 장군]

우러곰	우러러, 울어 울어

괴시란ᄃᆡ 아즐가 괴시란ᄃᆡ 우러곰 좃니노이다. [서경별곡]
(사랑하신다면, 아즐가 사랑하시나면 울면서라도 쫓으리이다.)

우음	웃음

하하 허허 ᄒᆞᆫ들 내 우음이 졍 우움가 [권섭의 시조]
(하하 허허 하고 있다고 내 웃음이 진짜 웃음인가?)

우희	전에, 위에

중문 나셔 대문 나가 지방 우희 치ᄃᆞ라 안자 [님이 오마 하거늘]
(중문 나서 대문 나가 문지방 위에 치달아 앉아)

원수	으뜸이 되는 장수

35일차 : 의~제

의구하다	옛날 그대로 변함이 없다

산천(山川)은 의구(依舊)하되 인걸(人傑)은 간 듸 업다. [오 백년 도읍지를]
(산천의 모습은 예나 다름 없으나, 인걸은 간 데 없다.)

이ᄅᆡ	아양

이ᄅᆡ야 교ᄐᆡ야 어ᄌᆞ러이 ᄒᆞ돗ᄡᅧᆫ디 [속미인곡]
(아양 떨고 애교부리고 귀찮게/어지럽게 굴었던지.)

이숫하다	비슷하다

산 접동새 난 이슷ᄒᆞ요이다 [정과정]
(산 접동새와 난 처지가 비슷하구나.)

이올다	꽃이나 잎이 시들다

음애(陰崖)예 이온 플을 다 살와 내여ᄉᆞ라. [관동별곡]
(그늘진 낭떠러지에 시든 풀을 다 살려 내려무나.)

이화	배꽃

이화우(梨花雨) 흩날릴 제 울며잡고 이별한 님 [이화우 흩날릴 제]

일엽편주	소박한 삶

쟐다	짧다

긴 소ᄅᆡ 쟈른 소ᄅᆡ 절절(節節)이 슬픈 소ᄅᆡ [귀또리 져 귀또리]
(긴 소리 짧은 소리 절절히 슬픈 소리)

절로	저절로

강호(江湖)에 봄이 드니 미친 흥(興)이 절로 난다 [강호사시가]
(강호(자연)에 봄이 찾아 오니 미친 흥이 저절로 난다.)

젓다	두려워하다

하ᄂᆞᆯ도 젓치 아녀 웃독이 셧ᄂᆞᆫ 거시 [면앙정가]
(하늘도 두려워하지 않고 우뚝 서 있는 것이)

제	때

이 몸 삼기실 제 님을 조차 삼기시니 [사미인곡]
(이 몸 태어날 때 님을 따라 생겨나니)

36일차 : 져~초

져근덧	잠깐

져근덧 ᄉᆡᆼ각 마라 이 시ᄅᆞᆷ 닛쟈 ᄒᆞ니 [사미인곡]
(잠깐 동안 생각 말아 이 시름 잊자 하니)

정지	부엌

가다가 가다가 드로라 에졍지 가다가 드로라 [청산별곡]
(가다가 가다가 들어와. 외딴 부엌을 지나가다가 들어와.)

좋다(조타)	깨끗하다

명사(明沙) 조ᄒᆞᆫ 믈에 잔 시어 부어 들고 [상춘곡]
(맑은 모래 위로 흐르는 깨끗한 물에 잔을 씻어 부어 들고)

즈믄/온	천(1000)/백(100)

즈믄 ᄒᆡᆯ 長存(장존)ᄒᆞ샬 藥이라 받ᄌᆞᆸ노이다. [동동]
(2000년을 오래 사실 약이기에 바치옵니다.)

즌 ᄃᆡ	진 곳 (위험한 곳)

즌 ᄃᆡ롤 드ᄃᆡ욜세라 [정읍사]
(진 곳을 디딜세라 (두려워라))

즛슬	모습을

봄이 왓다 ᄒᆞ되 소식(消息)을 모로더냐 [봄이 왓다 ᄒᆞ되]
(봄이 왔다 해도 소식을 몰랐는데)

지위로	탓으로

아마도 이 님의 지위로 살동말동 ᄒᆞ여라. [규원가]
(아마도 이 님의 탓으로 살 듯 말 듯 하여라.)

질삼뵈	비싼 옷감 중 하나로 여인의 모든 것, 생업을 의미함

여ᄒᆡ므론 아즐가 여ᄒᆡ므론 질삼뵈 ᄇᆞ리시고 [서경별곡]
(임을 여의느니, 아즐기 여의느니 길쌈하는 베 버리고라도)

천석고황	자연을 상징하는 샘과 돌이 고황에 들었다는 뜻으로, 자연을 벗하고자 하는 마음이 고질병처럼 나을 수 없이 깊어졌음을 비유적으로 이르는 말

초려삼간	초라하고 보잘것없는 집

십 년(十年)을 경영(經營)하야 초려삼간(草廬三間) 지어내니. [십 년을 경영하여]
(십 년을 경영하여 초가집 3칸을 지어내니.)

37일차 : 추~하

추호도	조금도

바다 ᄀᆞ튼 님의 은(恩) 추호(秋毫)나 갑프리라 [만분가]
(바다 같은 님의 은혜 아주 조금이나마 갚으리라.)

침중하다	가라앉아서 침울한 듯 무게가 있다, 무겁고 위태롭다

신(臣)이 근래 병세(病勢)가 침중하니 중임(重任)에서 해면시켜 주소서.

ᄏᆞ니와	커녕, 물론이고

각시님 ᄃᆞᆯ이야ᄏᆞ니와 구ᄌᆞᆫ 비나 되쇼셔 [속미인곡]
(각시님 달은커녕 궂은 비나 되소서)

탁료계변	탁주와 시냇가, 시냇가에서의 술을 마시는 것.

탁료계변(濁醪溪邊)에 금린어(錦鱗魚) ㅣ 안주로다. [강호사시가]

하다	많다

노래 삼긴 사람 시름도 하도할샤 [신흠의 시조]
(노래를 처음으로 만든 사람 근심이 많기도 많았구나)

ᄒᆞ다	하다

봄이 왓다 ᄒᆞ되 소식(消息)을 모로더냐 [봄이 왓다 ᄒᆞ되]
(봄이 왔다 해도 소식을 몰랐는데)

하례	축하하다

이십 리 실상사에 가 세 사신이 하례할 때 [일동장유가]

하릴없이	어쩔 도리 없이

누대봉사(屢代奉祀) 이내 몸은 하릴없이 매와잇고 [갑민가]
(대대로 조상 제사를 받드는 나는 할 수 없이 매어 있고)

하얌	시골에 살아 세상 이치를 모르는 어리석은 사람

어리고 햐암의 뜻의ᄂᆞᆫ 내 分(분)인가 ᄒᆞ노라. [만흥]
(어리석고 시골에 사는 견문이 좁은 내 뜻으로는 내 분수인가 하노라.)

하직	벼슬아치가 임금에게 작별을 아뢰

전하를 하직하고 조선을 떠나가옵니다. [홍길동전]

38일차 : 항~황

항서	항복을 인정하는 문서

해오라비	해오라기, 하얀 백로

검은 까마귀 해오라비 되도록에 [오리의 짧은 다리]

행화	살구꽃

도화 행화(桃花杏花)ᄂᆞᆫ 석양리(夕陽裏)예 퓌여 잇고 [상춘곡]
(복숭아꽃과 살구꽃은 석양 속에 피어 있고)

헌사ᄒᆞ다	야단스럽다 (긍정적 의미 - 자연의 아름다움)

어와, 조화옹(造化翁)이 헌사토 헌사할샤 [관동별곡]
(어와 조화옹의 솜씨가 야단스럽기도 야단스럽구나)

혀다	1. 켜다 2. 연주하다 3. 세다

이월(二月)ㅅ 보로매 아으 노피 현 등(燈)ㅅ블 다호라 [동동]
(2월 보름에 아아 높이 켠 등불 같구나.)

혜다	생각하다

단표누항(簞瓢陋巷)에 훗튼 혜음 아니 ᄒᆞᄂᆡ [상춘곡]
(누추한 곳에서 가난한 생활을 하면서도 헛된 생각을 아니 하네.)

혬, 혜윰, 혬가림	생각, 근심, 걱정

단표누항에 훗튼 혜음 아니 ᄒᆞ니 [상춘곡]
(단표누항에 헛된 생각 아니하니.)

홍진	1. 붉은 먼지 2. 속세를 비유적으로 이르는 말

홍진(紅塵)에 뭇친 분네 이내 생애(生涯) 엇더ᄒᆞ고 [상춘곡]
(속세에 묻혀 사는 사람들아, 이 나의 삶이 어떠한가?)

황망	당황하여 허둥지둥함

주중인(舟中人)이 황망하여 조수(措手)할 길 잇슬소냐 [표해가]
(주중인이 당황하여 손 쓸 방법이 있겠는가)

황운	누렇게 익은 곡식

황운(黃雲)은 또 엇디 만경의 퍼겨 디오. [면앙정가]
(누렇게 익은 곡식은 또 어찌 넓은 들에 퍼져 있는가.)

39일차 : 자연과 속세를 나타내는 어휘

속세를 나타내는 어휘				
인간(人間) 인간세상	인세(人世) 인간세상	홍진(紅塵) 붉은 먼지	풍진(風塵) 바람, 먼지	진세(塵世) 먼지 세상
하계(下界) 천상계의 반대	부귀(富貴) 재산과 지위	공명(功名) 이름을 떨침.	녹봉(祿俸) 관리의 월급	속세(俗世) 속된 세상

자연을 나타내는 어휘				
강호(江湖) 강과 호수	강산(江山) 강과 산	청산(靑山) 푸른 산	산수(山水) 산과 물	산천(山川) 산과 내
풍월(風月) 바람과 달	명월(明月) 밝은 달	청풍(淸風) 맑은 바람	산림(山林) 산과 숲	임천(林川) 수풀과 내
연하(煙霞) 안개와 노을	풍운(風雲) 바람과 구름	풍월(風月) 바람과 달	유수(流水) 흐르는 물	녹음(綠陰) 푸른 숲
건곤(乾坤) 하늘과 땅	백구(白鷗) 갈매기	금수(錦繡) 수 놓은 비단		

40일차 : 소박한 삶의 태도, 만족과 한가로움의 어휘

띠집, 뛰집, ᄯᅴ집	초가집

산슈 간 바회 아래 뛰집을 짓노라 ᄒᆞ니 [만흥]
(산수 간 바위 아래에 초가집을 짓고자 하니)

수간모옥	몇 칸 안 되는 작은 초가집

수간모옥을 벽계슈 앏픠 두고 [상춘곡]
(작은 초가집을 벽계수 앞에 두고)

모첨	초가집 처마

모쳠 비촌 ᄒᆡᄅᆞᆯ 옥누에 올리고져. [사미인곡]
(초가집 처마에 비친 해를 옥루(임금 계신 곳)에 올리고자 하니.)

단표(누항), 단사표음	누추하고 소박한 밥과 물

단표누항에 흣튼 혜음 아니 ᄒᆞᄂᆡ. [상춘곡]
(누추하고 소박한 밥과 물에 헛된 생각하지 않는다.)

와실	작은 집, 자신의 집을 겸손하게 이르는 말

와실(蝸室)에 드러간 잠이 와사 누어시랴. [누항사]
(누추한 집에 들어간들 잠이 와서 누워 있겠느냐.)

초막(草幕)	초가집

누항 깁픈 곳의 초막을 지어두고 [누항사]
(더러운 거리 깊은 곳에 초가집을 지어두고)

안분지족(安分知足)	편안한 마음으로 제 분수를 지키며 만족함을 앎.

안빈낙도(安貧樂道)	가난 속에서도 편안한 마음으로 도(道)를 즐김.

초당심사(草堂心事)	초당에서 지내는 편안한 마음

초당심사 백구인들 제 알랴. [한거십팔곡]
(초당에서 지내는 편안한 마음을 갈매기는 알겠느냐.)

박주산채	맛이 변변치 않은 술과 산나물 (소박한 음식)

41일차 : 시간을 나타내는 한자

春	봄 춘

일장춘몽(한 바탕의 봄 꿈), 입춘(24절기의 첫 번째로, 봄의 시작)

夏	여름 하

秋	가을 추

추풍낙엽(가을바람에 떨어지는 낙엽. 세력이나 형세가 갑자기 기울거나 시듦을 비유한 말.)

冬	겨울 동

朝	아침 조

조식, 조조할인

晝	낮 주

주간, 주야장천(밤낮으로 쉬지 않고 긴 하천처럼, 늘)

夕	저녁 석

석식, 석양, 추석

夜	밤 야

야식, 야시장, 열대야

42일차 : 자연을 나타내는 한자

<table>
<tr><td>天</td><td>하늘 천</td></tr>
<tr><td>地</td><td>땅 지</td></tr>
<tr><td>日</td><td>해 일</td></tr>
<tr><td>月</td><td>달 월</td></tr>
<tr><td>海</td><td>바다 해</td></tr>
<tr><td>山</td><td>산 산</td></tr>
<tr><td>雨</td><td>비 우</td></tr>
<tr><td>雪</td><td>눈 설</td></tr>
<tr><td>雲</td><td>구름 운</td></tr>
<tr><td>風</td><td>바람 풍</td></tr>
<tr><td>波</td><td>파도, 물결 파</td></tr>
<tr><td colspan="2">만경 징파(萬頃 澄波)에 슬ᄏᆞ지 용여(容與) ᄒᆞ쟈 [어부사시사]
(만경징파에 마음껏 즐겨보자.)</td></tr>
<tr><td>江</td><td>강 강</td></tr>
<tr><td>湖</td><td>호수 호</td></tr>
</table>

43일차 : 식물을 나타내는 한자

草	풀 초

방초(芳草)를 ᄇᆞᆯ와 보며 난지(蘭芷) 도 뜨더 보쟈. [어부사시사]
(꽃과 풀을 바라보며 난초 영지를 뜯어 보자)

花	꽃 화

국화, 매화, 화분, 설빈화안(여인의 아름다운 용모를 이르는 말.)

柳	버들 류

안류(岸柳) 정화(汀花)ᄂᆞᆫ 고븨 고븨 새롭고야. [어부사시사]
(버들이며 물꽃은 굽이굽이 새롭구나.)

竹	대나무 죽

강호(江湖)애 병(病)이 깁퍼 듁님(竹林)의 누엇더니, [관동별곡]
(자연을 사랑하는 병이 깊어 대나무 숲에 누웠더니.)

松	소나무 송

송간(松間) 세로(細路)에 두견화를 부치 들고
봉두(峰頭)에 급피 올나 구름 소긔 안자 보니 [상춘곡]
(소나무 사이 좁은 길에 진달래꽃을 붙잡아 들고
산 봉우리에 급히 올라 구름 속에 앉아 보니)

林	수풀 림

아마도 임천한흥(林泉閑興)이 비길 곳이 업세라. [만흥]
(아마도 자연에서 즐기는 흥이 비교할 곳이 없다.)

野	들판 야

梅	매화 매

매영(梅影)이 부드친 창에 옥인금차 비겨신져 [매화사]
(매화 그림자가 비치는 창에 어여쁜 여인의 금비녀가 비스듬히 비치는구나.)

44일차 : 사람, 초월적 존재를 나타내는 한자

君	임금 군

역군은 이샷다(이 모든 것이 임금님 덕분이다.)
군군신신 부부자자(공자의 정명(正名)사상으로, 임금은 임금답고 신하는 신하답고 아버지는 아버지답고 자식은 자식다워야 한다는 말.)

臣	신하 신

충신(충성스러운 신하), 간신(간사한 신하)

民	백성 민

애민(백성을 사랑함.)

主	주인 주

주객전도(주인과 손님이 뒤바뀜, 주체와 객체가 뒤바뀜.)

客	손님 객

석양에 지나는 객이 눈물겨워 하노라. [흥망이 유수하니~]

僕	노비 복

비복, 복비, 노복, 노예, 예복(노비를 가리키는 말)

翁	늙은이/노인 옹

仙	신선 선

선계(신선계)

佛	부처 불

불법(불교의 법)

45일차 : 인간의 신체, 모습을 나타내는 한자

頭	머리 두

봉두(峰頭)에 급피 올나 구름 소긔 안자 보니 [상춘곡]
(산 봉우리에 급히 올라 구름 속에 앉아 보니)

眼	눈 안

耳	귀 이

鼻	코 비

面	낯/얼굴 면

背	등 배

배신, 면종복배(겉으로는 복종하는 체하면서도 내심으로는 배반함)

尾	꼬리 미

수미상관(문학 작품에서 머리[수]와 꼬리가 서로 동일한 혹은 비슷한 형태를 띄는 것.)

수족(手足)	손과 발. 자신의 손과 발처럼 부리는 아랫사람.

설빈화안(雪鬢花顔)	여인의 아름다운 용모를 이르는 말

설빈화안(雪鬢花顔) 어듸 두고 면목가증(面目可憎) 되거고나. [규원가]
(아름다운 얼굴은 어디에 두고, 보기 싫은 얼굴 되었구나.)

간담상조(肝膽相照)	간과 쓸개를 서로 비춤. 진심으로 서로를 대하는 것을 비유하는 말

간담을 상응하여 정곡 상통하는구나. [연행가]
(서로 마음을 터놓아 정을 나누는구나.)

46일차 : 성격, 특징, 감정을 나타내는 한자

善	착할 선
선의(착한 마음, 남을 위해 생각하는 마음.)	

惡	악할 악
악인, 개악, 악성 댓글	

富	부자 부
부촌(부자가 많이 거주하고 있는 지역)	

貧	가난할 빈
빈천(가난하고 천한 것.)	

喜	기쁠 희

怒	성낼 로

樂	즐거울 락

好	좋을 호
호감정, 호의적	

怨	원망할 원
빈이무원(貧而無怨) (가난해도 세상에 대한 원망이 없음.)	

恨	원망할/원통할 한

閑	한가할 한

47일차 : 색깔, 모습을 나타내는 한자

明	밝을 명

닷봇근 명경(明鏡) 중 절로 그린 석병풍(石屛風) [성산별곡]
(잘 닦은 맑은 거울 속에 저절로 그려진 돌로된 병풍)

暗	어두울 암

赤	붉을 적

紅	붉을 홍

黃	누를 황

황토색

綠	초록색 녹

남풍(南風)이 건듯 부러 녹음(綠陰)을 헤텨 내니 [성산별곡]
(남풍이 문득 불어 녹음을 헤쳐내니)

靑	푸를 청

淸	맑을 청

白	흰백

백발, 흑백 필름

黑	검을 흑

48일차 : 행위를 나타내는 한자

買	살 매

賣	팔 매

問	물을 문

答	대답할 답

送	보낼 송

受	받을 수

積	쌓을 적

入	들어갈 입

입학, 입실, 입문

退	물러날/피할 퇴

퇴학, 퇴진, 사퇴, 퇴근

反	반대(할) 반

반대, 반송, 반언어적 표현, 반정부, 반하다, 반론하다, 반문하다

貪	탐낼 탐

탐욕, 탐진치[9]

9) 불교에서 욕심을 내고(탐), 성을 내고(진), 어리석은 것(치)를 함께 이르는 말. 이 세 가지 번뇌를 '독'에 비유하여 '삼독'이라고 한다.

49일차 : 장소, 도구를 나타내는 한자

京	서울 경
경기도(서울 인근의 지역)	

路	길 로
문전석로반성사(門前石路半成沙) [몽혼][10]	

亭	정자 정
동쥬ㅣ 밤 계오 새와 북관명(北寬亭)에 올나하니 [관동별곡] (동주(철원)의 밤을 겨우 새우고 정자에 오르니)	

宮	집/궁궐 궁

樓	다락 누
봉황누(봉황(임금)이 계신 곳), 옥누(임금이 계신 곳)	

衣	옷 의
청약닙(靑蒻笠)은 써잇노라 녹사의(綠蓑衣) 가져오냐. [어부사시사] (삿갓은 이미 쓰고 있노라, 도롱이는 가져왔느냐?)	

輪	바퀴/수레/마차 륜
우개지륜(羽蓋之輪)이 경포(鏡浦)로 나려가니 [관동별곡] (신선이 탄다는 마차를 타고 경포로 내려가니)	

劍, 刀	칼 검, 도
검사(검을 쓰는 사람), 단도(짧은 칼)	

10) 近來安否問如何　근래안부문여하 / 月到紗窓妾恨多　월도사창첩한다
若使夢魂行有跡　약사몽혼행유적 / 門前石路半成沙　문전석로반성사
근래의 안부를 묻습니다 / 달빛 어린 창가 그리움만 가득합니다.
만약, 꿈 속의 내 영혼이 발자취가 있다면 / 당신 문 앞 돌길이 반은 모래가 되었을 겁니다.

酒	술 주
포도주, 맥주, 양주	

청등(靑燈)	푸른 빛을 내는 등.
반벽청등은 눌 위ᄒᆞ야 ᄇᆞᆯ갓ᄂᆞᆫ고. [속미인곡] (벽에 가운데 걸린 푸른 등은 누구를 위해 밝혀 있는가.)	

연지분(臙脂粉)	연지와 분, 화장품. (여성)
연지분(臙脂粉) 잇내마는 눌 위하야 고이 할고. [사미인곡] (연지분 있지만 누구를 우위해서 곱게 할까)	

녹의홍상(綠衣紅裳)	초록 상의와 붉은 치마. (여성)